CB040691

A Sopa de Kafka

Uma história completa da literatura mundial
em 14 receitas

A Sopa de Kafka

Uma história completa da literatura mundial em 14 receitas

Escrita e ilustrada por

Mark Crick

Tradução de Irene Hirsch

Traduzido do original em inglês:
Kafka's Soup

Tradução: Irene Hirsch
Produção gráfica: Katia Halbe
Diagramação: Join Bureau
Capa: Miriam Lerner

CIP-Brasil. Catalogação na Fonte
Sindicato Nacional dos Editores de Livros, RJ

C946s
Crick, Mark
A sopa de Kafka : uma história completa de literatura mundial em 14 receitas / escrita e ilustrada por Mark Crick ; tradução de Irene Hirsch. – São Paulo : Argumento, 2009.
il.

Tradução de: Kafka's soup
ISBN 978-85-88763-11-1

1. Culinária. 2. Culinária na literatura. 3. Alimentos na literatura. I. Título. II. Título: Uma história completa da literatura mundial em 14 receitas.

09-4791. CDD: 641.5
CDU: 641.5

GRUPO EDITORIAL PAZ E TERRA
Editora Argumento
Rua do Triunfo, 177
Santa Ifigênia, São Paulo, SP – CEP: 01212-010
Tel.: (11) 3337-8399
e-mail: vendas@pazeterra.com.br
home page: www.pazeterra.com.br

2009
Impresso no Brasil / Printed in Brazil

Sumário

CORDEIRO AO MOLHO DE ENDRO *à la* Raymond Chandler 7

OVOS COM ESTRAGÃO *à la* Jane Austen 10

SOPA RÁPIDA DE MISSÔ *à la* Franz Kafka 16

DELICIOSO BOLO DE CHOCOLATE *à la* Irvine Welsh 20

TIRAMISU à la Marcel Proust 29

COQ AU VIN à la Gabriel Garcia Márquez 36

RISOTO DE COGUMELO *à la* John Steinbeck 44

GALETO RECHEADO *à la* Marquês de Sade 48

CLAFOUTIS GRANDMÈRE à la Virginia Woolf 60

FENKATA à la Homero 64

FRANGO VIETNAMITA *à la* Graham Greene 70

LINGUADO *À LA DIEPPOISE à la* Jorge Luis Borges 74

QUEIJO COM TORRADA *à la* Harold Pinter 82

TORTA DE CEBOLA *à la* Geoffrey Chaucer 89

Cordeiro ao Molho de Endro

à la Raymond Chandler

1 kg de carne magra de perna de cordeiro cortada em pedaços grandes
1 cebola fatiada
1 cenoura cortada em palitos
1 colher de sopa de sementes moídas de endro, ou 3 a 4 ramos de endro fresco
1 folha de louro
12 grãos de pimenta
½ colher de sal
850 ml de caldo de galinha
50 g de manteiga
1 colher de sopa de farinha
1 gema de ovo
3 colheres de sopa de creme
2 colheres de suco de limão
Pimenta preta moída

Dei um gole no meu *whisky sour*, apaguei meu cigarro na tábua de cortar e assisti um inseto tentando sair do ralo. Eu precisava duma mesa no *Maxim's*, de cem pratas e de uma loira deslumbrante; só tinha uma perna de cordeiro e nenhuma ideia. Peguei o pedaço de carne. Estava frio e úmido como o aperto de mãos de um médico legista. Peguei uma faca e cortei o cordeiro em pedaços. Sentindo a lâmina na mão, fatiei uma cebola e antes de me dar conta do que estava fazendo, uma cenoura em pedaços apareceu na tábua. Nada se mexia. Joguei tudo numa panela com um punhado de ramos de endro, uma folha de louro, um punhado de grãos de pimenta e uma pitada de sal. Eles se juntaram, então despejei o caldo de galinha e acendi o fogo. Queria que fervesse devagar, tão devagar quanto possível. Uma hora e trinta minutos e meia garrafa de *bourbon* depois, tudo estava amaciado, inclusive eu. Separei a carne dos legumes e a cobri para manter a umidade. A faca ainda estava na minha mão, mas eu não ouvia nenhuma sirene.

Neste ponto a gordura sempre sobe, então coei o líquido e tirei a gordura. Acrescentei mais água e pus de volta no fogo. Estava na hora de encarar a manteiga e a farinha, por isso misturei tudo numa massa e juntei ao caldo. Não tinha um batedor, por isso usei meu porrete para eliminar as bolotas e deixar a massa lisa. Começou a ferver, então deixei cozinhando em fogo brando por dois minutos.

Misturei a gema e o creme e juntei um pouco do molho quente antes de colocar tudo de volta na panela. Dei uma espremida no limão, cujo suco logo jorrou. Foi fácil. Fácil demais, mas eu sabia que se deixasse o molho ferver, a gema endureceria.

Naquele momento, eu estava pronto para despejar o molho sobre a carne e servir, mas estava sem fome. A loira não tinha aparecido. Ela era mais inteligente do que pensei. Saí para me envenenar com cigarros e *whisky*.

DEI UM GOLE NO
MEU WHISKY SOUR...
APAGUEI MEU CIGARRO NA
TÁBUA DE CORTAR...
ASSISTI UM INSETO
TENTANDO SAIR
DO RALO...
SÓ TINHA UMA PERNA DE
CORDEIRO E NENHUMA IDEIA...

Ovos com Estragão

à la Jane Austen

40 g de manteiga
4 ovos
Pimenta moída
1 pitada de sal
1 colher de estragão (fresco ou desidratado)

É uma verdade universalmente reconhecida que os ovos guardados durante muito tempo apodrecem. Tão logo os ovos da fazenda Oakley foram colocados na cozinha de Somercote, a sra. B — planejou uma refeição para apresentá-los aos vizinhos para que fossem aceitos por todos. Seus ovos tinham sido muito favorecidos pela natureza, com uma tendência a serem agradavelmente uniformes, e ela esperava ver ao menos meia dúzia deles em perfeito estado na semana vindoura.
O aparecimento de um recém-chegado na paróquia ofereceu-lhe a oportunidade ideal e a sra. B — rapidamente enviou convites para o almoço.

Muitas horas se passaram em discussões com sua vizinha *lady* Cumberland sobre os méritos de um prato em comparação com o outro. As duas senhoras pensaram com extraordinário zelo sobre as vantagens de servir chá em vez de

The Perfect Union of Miss Pogg and Monsieur Estragon

After Rowlandson

café, se a torrada deveria ser branca ou preta, assuntos sobre os quais *lady* Cumberland expressava sua opinião de um modo tão absoluto que a sra. B — não ousava discordar. *Lady* Cumberland não era fã da *nouvelle cuisine*, que ela dizia ser responsável, em primeiro lugar, por dar indevida distinção a ingredientes de origem obscura, e, segundo, por dar prestígio aos cozinheiros de uma forma que seus pais e avôs jamais sonhariam. Em nome da decência, a sra. B — concordou que serviria um prato tradicional.

À medida que o dia do almoço se aproximava, o terrível nervoso da sra. B — piorava. O evento que ela tinha anunciado com tanta expectativa deixou de ser uma fonte de prazer. Pelo contrário, era uma injustiça que as senhoras do vilarejo permitissem que o fardo de organizar esses encontros fosse sempre seu; não era estranho que a sra. Eliot não tivesse tido a gentileza de retribuir o jantar oferecido duas semanas antes? Esses eram os pensamentos da sra. B — , enquanto andava pelo jardim em busca de inspiração, quando o barulho de uma carruagem atravessando o gramado anunciou a chegada de *lady* Cumberland, propondo um pequeno ensaio. Foi assim que aconteceu de as duas vizinhas estarem na cozinha em Somercote, ainda ocupadas em encontrar o acompanhamento certo para os ovos. Enquanto *lady* Cumberland tomava seu chá, a sra. B — decidiu se ocupar na despensa, em busca do acompanhamento ausente.

"Salsinha serve", disse ela. Havia bastante salsinha em casa e a possibilidade de que combinasse com ovos era tudo o que a sra. B — podia desejar: "Bonito, com uma aparência simples e sem afetação". A reação de *lady* Cumberland foi definitiva: "A haste é muito enrolada, e muita salsinha é encontrada em maços nas peixarias. Seria uma combinação desastrosa".

A sra. B — não estava acostumada a discordar de *lady* Cumberland, que era muito mais informada e, já que sua opinião tão estimada a respeito da salsinha fora rejeitada, ela se voltou para visitantes mais raros, inclusive o estragão. Sempre achara que se tratava de uma erva dura e difícil de agradar. "O estragão se recusa a nascer aqui, se recusa a nascer ali, mas se acha tão importante que desaparece todos os invernos, não sei onde. Odeio essa planta."

"O estragão francês é uma erva aristocrática, e apesar de eu achar que é bom demais para seus ovos, não posso negar que seria uma combinação elegante", disse *lady* Cumberland. A sra. B — ouviu a observação com toda contenção da cortesia, e o desdém a respeito de seus ovos não foi comentado. Uma recomendação de uma autoridade da estatura de *lady* Cumberland não podia ser ignorada, e o desprezo da sra. B — pelo estragão logo foi esquecido. A possibilidade de seus ovos serem cozidos com a erva aristocrática deixou a sra. B — em tal estado de excitação que *lady* Cumberland teria ido embora, se não fosse pela promessa do almoço. Por isso, instruiu a anfitriã para fazer o prato sem demora: "Sugiro que comece logo".

A sra. B — obedeceu, batendo os ovos levemente para misturar as gemas com as claras. Seguindo as instruções de *lady* Cumberland, ela passou os ovos por uma peneira, para remover o filete e misturar melhor a clara e a gema sem gerar espuma, o que pode ser "tão desagradável". Mal tinha levado a tarefa a cabo, quando acrescentou o estragão, de que agora gostava. Não conseguia esconder seu entusiasmo pela combinação dos ovos com estragão e antecipou o momento feliz em que os veria juntos sobre a torrada.

Pegando metade da manteiga, a sra. B — passou na panela e declarou que se tratava do ingrediente mais dócil de todos. Acrescentou o resto da manteiga em pedacinhos à mistura, junto com o sal e a pimenta, antes de cozinhar tudo em um fogo brando, mexendo sem parar, até o fundo da panela. Assim que a liga pareceu se fortalecer, ela tirou o prato do fogo e continuou a mexer; o calor da panela era suficiente para terminar o cozimento antes que os ovos ficassem secos demais.

A sra. B — então serviu essa combinação maravilhosa com pão torrado, e com tanto gosto e mérito, que *lady* Cumberland se viu obrigada a declarar que o prato era aceitável, e que o sucesso com os convidados era garantido. E foi isso que ocorreu, com exceção da sra. Eliot, que ao contar os detalhes para seu marido observou que faltou refinamento à mesa e que o prato era inferior aos seus ovos Benedict. Mas apesar das deficiências todas, as esperanças, as sensibilidades e os apetites do grupinho de verdadeiros amigos que se juntaram para o almoço foram atendidos com o sucesso perfeito da união.

Sopa Rápida de Missô

à la Franz Kafka

3 colheres de sobremesa de missô fermentado
150 g de tofu macio
4 a 5 cogumelos pequenos
Algumas folhas de alga wakame

K. reconheceu que se um homem não fica sempre atento, esse tipo de coisa pode acontecer. Ele estava olhando para dentro da geladeira e viu que estava quase vazia, salvo por alguns cogumelos que começou a fatiar. Os convidados estavam à mesa e, no entanto, parecia que ele não tinha muita coisa a lhes oferecer. Não estava claro se ele os tinha convidado, ou se tinham aparecido sem convite mesmo. Se fosse o primeiro caso, ele ficaria bravo consigo por não ter contratado um cozinheiro para a noite, para que ele pudesse exercer sua autoridade à mesa; pois agora suas visitas olhavam para ele como se tratasse de um subordinado, cuja incompetência estava atrasando o jantar. Mas, se vieram sem convite, não poderiam esperar muita comida, chegando numa hora dessas sem avisar.
O apito da chaleira com água fervente levou sua atenção de volta à comida e, ao mesmo tempo, ele viu um pote de missô fermentado e um pedaço de tofu macio, que talvez fosse da senhoria. Colocou três colheres de missô na panela e jogou um litro de água quente,

Soup

escondendo o processo da comissão, enquanto fazia isso. Ficou bravo consigo mesmo por achar que os recém-chegados eram uma comissão; eles não haviam dito com que objetivo foram visitá-lo e tampouco ele sabia sobre a posição que cada um deles ocupava. Seus modos sugeriam, talvez, que fossem oficiais do alto escalão, mas também era possível que ele fosse o superior e que eles o estivessem visitando apenas para causar uma boa impressão.

Envergonhado, K. se deu conta de que não tinha oferecido nenhuma bebida aos seus convidados, mas logo percebeu que havia uma garrafa aberta na mesa e que os juízes já estavam bebendo seu vinho. Achou execrável que eles tivessem se servido sem pedir permissão, mas sabia que essa impertinência tinha um significado. K. decidiu envergonhá-los pela grosseria. "Como está o vinho?", perguntou. Mas o tiro saiu pela culatra. "Estaria melhor, se houvesse comida", disseram em coro. "Mas já que o senhor não teve a delicadeza de se arrumar para o jantar, não temos muitas expectativas." K. mal pode acreditar quando percebeu, com mal-estar, que estava de camiseta e ceroula.

Enquanto a sopa fervia em fogo brando, K. cortou o tofu em cubos de um centímetro e jogou-os na panela fervendo com os cogumelos e a alga wakame. Olhando para a escuridão pela janela, viu que uma moça observava da casa vizinha. A expressão séria da moça não era desagradável, mas a ideia de que ela estivesse se divertindo com a situação fez com que K. ficasse furioso e desse um murro na mesa. Ocorreu-lhe que talvez ela tivesse alguma ligação com a comissão de interrogatório ou que pudesse ter alguma influência no seu caso e olhou suplicante para ela, mas ela já tinha se afastado e ele havia desperdiçado qualquer vantagem que a situação poderia lhe proporcionar. A sopa ficou pronta em dois minutos. K. despejou-a nos pratos e serviu seus visitantes. Uma das quatro cadeiras em volta da mesa tinha sido tirada e, desconfortável, K. viu que a comissão não fez nenhum esforço para lhe dar lugar. Colocou um pouco de shoyu nos pratos, enquanto o mais velho dos três juízes se dirigiu aos outros como se K. fosse invisível. "Ele precisa se libertar de várias ilusões; é possível que imagine que somos todos subordinados que fizeram essa visita para cair em suas boas graças."

A sensação de K. de ser um forasteiro no seu próprio jantar não lhe era desconhecida. Lamentava não estar vestido com seu terno cinza, cujo corte elegante havia intrigado seus amigos e era de crucial importância causar uma boa impressão nessas ocasiões. Era essencial para um homem em sua posição não parecer surpreso pelos acontecimentos, e enquanto a comissão do interrogatório dividia o conteúdo da tigela de K., este ficou imóvel, tentando se recompor, pois sabia que muitas exigências seriam feitas e a sopa ainda poderia influenciar o resultado desse caso.

Delicioso Bolo de Chocolate

à la Irvine Welsh

250 g de manteiga
500 g de açúcar
40 g de cacau
250 ml de café
150 g de chocolate ao leite
2 ovos
275 g de farinha com fermento
375 ml de vinho do Porto

Para o glacê
200 g de chocolate
100 g de açúcar refinado
100 ml requeijão
100 ml de Kahlua (opcional)

Vou pro moquifo vulgo casa, com todas as drogas de que preciso, sem conseguir me mexer numa boa. A cabeça lateja como se fosse explodir, espalhando meu cérebro e ossos sobre os pedestres, e tô tão fraco que juro que minhas pernas vão quebrar assim que eu subir a escada. Tomara que nenhum malandro tenha me visto voltar. Num tô a fim de rachar essa merda com meus supostos brôs.

After Hogarth

A Quality Fuckin' Cook Up

Boto um pacote de manteiga na panela e acendo o fogo. Enquanto derrete, boto o açúcar, os cristais brancos se dissolvem num líquido marrom dourado. Dissolvem direitinho, a merda é das boas. Minhas mãos tremem quando jogo o pó escuro do cacau na panela e, quando solto a barra, sinto a onda de ver o chocolate derreter na hora. É uma puta invenção irada.

Quando a mistura começa a borbulhar e a soltar, me dou conta que o café acabou, mas depois de fuçar embaixo do sofá, vejo uma caneca cheia e não vou voltar praquela porra de escada. Vai assim mesmo na mistura. Minha cabeça tá doendo menos e com o cheiro das drogas cozinhando e a visão apaziguadora da chama do gás, já tô me sentindo melhor.

Tiro a panela do fogo e quebro dois ovos numa tigela. Meus olhos se fixam na casca, e leio a data: os imbecis querem que eu jogue fora e compre mais. Talvez a galinha que os botou já esteja no *freezer* do supermercado, mas sei que dá para guardá-los por vários meses. Nem precisa bater os ovos: o trem das 14h22, de King's Cross, passa pela janela e mistura tudo, até a mim. Peso a farinha e, ao ver o monte de pó branco, fico a fim de enfiar meu nariz. Junto os ovos e a farinha na mistura e jogo uma gota do vinho do Porto. Dou um trago; é bom, então boto mais na panela – o fim é inevitável. A garrafa logo fica vazia. Bebi a metade e a outra metade foi pra mistura: que porra de bolo mais fissurado!

Alguém bate à porta. Merda. Ignoro. Minha cabeça começa a latejar de novo e decido que tá na hora de atacar as biritas. Tenho xícaras de chá suficientes pra acabar de cozinhar, isso se nenhum imbecil aparecer antes. As batidas começam de novo, só que mais alto.

– Stevie, sei que cê tá aí dentro. Abre essa porra de porta.

É Spanner, meu suposto brô. Nem pensar em dividir essa droga com ele, mas ele vai arrancar a porta. Eu abro.

– E aí, Span? Bom te ver. Me empresta vinte pratas até amanhã, quando eu recebo minha grana.

Quase deu certo. Ele ia embora, mas o nariz ainda deve funcionar de vez em quando, porque ele começou a farejar, como um cachorro.

– Cê tá fazendo um rango, Stevie. Saquei.

Ele foi direto pra cozinha e quando eu fechei a porta, ele levantou uma das tampas e ficou olhando pra dentro da panela, respirando profundamente. E agora?

Tem um monte daquela coisa marrom na panela, então eu unto duas formas de bolo e coloco a massa dentro. Mal posso esperar. Fico fissurado pra comer assim mesmo, mas a última coisa que quero é uma *bad trip* de chocolate. As formas vão pra dentro do forno a 200° C. Vou assar tudo nessa temperatura. Odeio os caretas podres que usam seus malditos ventiladores e termômetros. Quando se cozinha, se cozinha, fim de papo.

– Quanto tempo, Stevie?

Spanner tá tão desesperado quanto eu.

– Mais ou menos uma hora.

– Não dá pra ir mais depressa?

– Tô cozinhando o mais depressa que dá e cê não tá ajudando porra nenhuma.

As calhordices de Spanner eram tão úteis na cozinha quanto um pau amputado numa convenção de putas, e eu saquei que ele andou tomando umas. Enquanto ele vai mijar, eu coloco o chocolate escuro na panela e meço o açúcar refinado. Junto o creme e o Kahlua na panela. O Kahlua é uma bebida pra mulheres, eu sei, mas não fica mal no bolo. Quando pego a balança pra pesar o açúcar, Spanner já tá lá, se preparando pra enfiar o pó branco no nariz. Não gritei pra ele parar, mas a ficha caiu. Ele grita pra caralho e enfia o nariz na torneira, enquanto eu mexo o açúcar na panela.

Eu tipo ouço alguém chamar meu nome. Por um instante, acho que a voz tá na minha cabeça, me chamando pro planeta Terra, mas logo saco. É outro imbecil que veio me visitar sem convite. Logo eles vão embora, mas o imprestável do Spanner abre a janela e grita. Hiddy e Gav estão de pé na rua, de cabeça feita. Os dois trabalham para a funerária Grenson, e os dois putos vieram no carro da firma. Tô devendo cinquenta pratas pro Gav e ele não esqueceu. Tá achando o quê? Gav e Hiddy são os únicos imbecis que têm trabalho, desde que a assistente social descobriu que eles tavam pegando a grana em cinco endereços diferentes. Eles não vão ter seguro-desemprego por um bom tempo.

– Stevie tá fazendo um rango.

Fico a fim de pegar Span pelos pés e atirá-lo pela janela, bocão filho da puta, mas não tenho forças. Gav e Hiddy logo estão à porta com um troço que parece mais um aríete. Spanner abre a porta, enquanto eu pego uma lata das boas antes que esses caras fissurados bebam tudo. Gav cambaleia pra dentro de casa, vestido de terno e gravata pretos.

– Tempão, Stevie? Temos que curtir.

Hiddy está atrás dele e os dois tão carregando a porra dum caixão.

– Desculpe, Stevie. Mas da última vez que deixamos no carro, o caixão foi roubado. Conseguimos o carro de volta, mas sem o corpo. Vai ser uma merda se perdermos esse também.

Hiddy mal consegue respirar. O esforço de subir a escada quase acaba com ele. Eles largam o caixão no chão e Hiddy despenca na cadeira, a pele do rosto esticada como se tivesse papel-filme na cabeça. Ele poderia trocar de lugar com o homem no caixão, que ninguém ia perceber a diferença.

Desço pra fechar a porta e vejo uma mina de pé no hall. Ela usa um casaco preto cinco vezes maior do que seu tamanho e o rosto tá lívido. Olho pra Gav.

– Ah, Stevie, essa é a Debbie. O namorado dela tá no caixão. Não vamos demorar, Debbie, encosta aí.

Ela parece uma daquelas minas que fazem de tudo pra agradar. Não criou caso pelo pequeno desvio de seu namorado antes de ir pro lugar de descanso, é sério. Ela senta na cadeira e se abraça. Ela não é feia, não vai ficar na dela por muito tempo. Vou dar uma chegada lá, vagaba maneira. Aí eu saco que ela não tá se abraçando: tá segurando um neném dentro do casacão. Ele começa a gritar e ela tira o peito pra dar de mamar. A puta abusada tá dando de mamar na minha casa. Que merda, tenho que terminar o glacê. Gav e Hiddy esqueceram da pressa e atacaram as biritas, com as pernas esticadas no casaco de lã do namorado de Debbie. Se for do mesmo tamanho que o casaco de Debbie, o imbecil devia ser um anão.

Já passou quase uma hora. Esquento o glacê e tiro as formas de bolo do forno. Encontro uma seringa e uma agulha, ideal pra ver se o bolo tá pronto. Sem problema, a agulha sai limpinha. Porque o bolo tá um pouco queimado do lado de fora, corto as partes queimadas e espalho o glacê, enquanto ainda tá quente. Os dois pedaços tão ali, brilhando, como barras de ouro marrom. Spanner já bebeu o resto da Kahlua, tá fora de si, dando pulos desesperados por um pedaço do troço marrom. Ele que espere. Tô com pena da mina, então, pra ela primeiro... depois de mim, óbvio. A galera sorri quando entro na sala com um enorme prato de chocolate pra nos salvar, e o namorado de Debbie é uma ótima mesa de centro.

Tamos enchendo a cara, apesar de eu não achar que aquele barato seja o melhor acompanhamento. A pequena Debbie está entrando na onda. Botou a criança no chão com um pedaço do bolo pra parar com a choradeira e tá enfiando um pedaço de bolo na boca, com os olhos virados pra cima, como se fosse possível a dor parar, se ela comesse um monte de chocolate. Como sempre, Spanner tinha exagerado. O Kahlua não se deu bem com o barato, o bolo e tudo o que ele tinha tomado antes de chegar. Volta pra janela, quem é o imbecil que tá chegando agora? Mas ele não fala nada, cospe na rua, porra. O Spanner é da hora e dali a pouco ele pega o último pedaço de bolo.

– Não tá ruim – ele diz. – Mas não é que nem heroína.

Não tá ruim? O imbecil comeu a metade do bolo.

Gav e Hiddy tão de pé, tentando levantar seu amigo morto.

– Falou, Stevie, temos que picar a mula – diz Gav.

– Não esquece que cê deve cinquenta pratas.

Mal tive tempo de tirar o prato da mesinha, antes de ela ser tomada de volta, e eles já tinham se mandado. Mas tô com o endereço de Debbie. Olho pela janela: lá embaixo eles parecem uma pequena procissão, todos de preto, driblando como Archie Gemmill em câmera lenta. Mas o carro num tá legal. Spanner acertou em cheio. Parece que o filho da mão quis cobrir o carro com chocolate, mas Gay e Hiddy nem sacaram e se mandaram. O que fazer? Ele não é a primeira pessoa a ser levada pro carro depois de ser chutado pra fora da minha casa. Nem é o primeiro a ir embora coberto de vômito. Mas é verdade que tem algo de novo na parada, coitado. Não me entenda mal, eu não sinto pena dele, logo vou pra mesma. Sinto pena só de mim mesmo. Que porra de novidade eu tô fazendo? A gente acha que é o centro do universo, mas não é bem assim. Afinal, o que é o universo? É só uma porra dum carrossel, no qual a gente dá voltas sem parar, e não há nada que se possa fazer. A gente vive e morre. Fim dessa porra de história.

Tiramisu

à la Marcel Proust

12-15 biscoitos champanhe inglês
4 ovos
100 g de açúcar
Amaretto di Saronno
300 g de mascarpone
2 xícaras de café gelado
Chocolate em pó

Embora a elegância dos cafés e seu nível de conforto mantenham uma relação de oposição, num dia gelado de março, eu me encontrava em um café no bulevar Beaumarchais, cujos proprietários, de um local certamente distante do bairro onde eu estava, conseguiram encontrar um meio-termo tão perfeito, que o estabelecimento não tinha nem estilo e nem conforto; a combinação de sofás marrons, madeira clara e paredes vermelhas parecia ter sido entregue em um pacote único, de um mundo que não conhecia nada daquele para o qual enviava sua mercadoria, o resultado sendo uma mediocridade tão bem pesquisada que anunciava sua presença. Olhando naquele momento para o *capuccino*, que me serviram numa caneca branca grosseira, cuja superfície havia sido freneticamente batida para criar espuma e pulverizada com chocolate em excesso, lamentei o fato de a minha idade exigir que eu parasse quando meu corpo exigisse e não quando meus olhos fossem atraídos por alguma coisa ou alguém a quem eu não pudesse resistir. No entanto, quando dei um gole na bebida, de súbito, veio-me à memória: o chocolate polvilhado no *capuccino* tornou-se o mesmo da superfície do *tiramisu* que eu havia experimentado pela primeira vez numa noite no jardim, em Combray, onde meu pai oferecera uma pequena festa para recepcionar o antigo embaixador em Roma, que havia retornado com a filha àquela redondeza.

Daquele remoto passado – tendo as mansões desaparecido, os habitantes que definhavam, como as últimas criaturas de uma floresta mítica – surgiu algo infinitas vezes mais frágil e, no entanto, mais vivo, insubstancial, mas persistente; a memória do cheiro e do gosto, tão fiel, resistia à destruição e, por um momento, reconstruiu o palácio onde vivia a memória daquela noite e daquele *tiramisu*.

A combinação de creme e café parecia permitir o acesso a um mundo mais real do que aquele onde eu estava sentado, um impostor que se anunciava como "casa do café", cuja clara sinalização "Simplesmente delicioso", "Venha almoçar", "Panini quente" atraía uma geração para a qual eu estava perdido. Será que alguns desses clientes conheciam a beleza do *Caffé Florian*, na Praça São Marcos, onde meus ancestrais haviam tomado café com Byron? A memória tendo se dissipado, dei mais um gole na bebida quente; e mais uma vez voltou à lembrança aquela experiência, numa noite

em Combray, quando fui apresentado a Ursula Patrignani, seu corpo se movimentando como uma bailarina, arqueando-se numa mostra de falsa cortesia ao me oferecer um prato com *tiramisu*, e da leve vertigem que senti em sua presença ao olhar para o movimento de sua delicada boca, como se feita por Botticelli, tão estupefato que não ouvia suas palavras. A falta de firmeza de minhas pernas transformou-se no balanço de uma gôndola, ao atracarmos no *Palazzo Venezia* e andarmos de braços dados, sob a névoa, para um salão enfeitado com "A Festa dos Deuses" de Bellini. Mais uma vez a memória se desvaneceu, e a parede verde desbotado do *Palazzo* e a obra dos mestres venezianos foram substituídas pelos biombos vermelhos e marrons e pelas imensas fotografias mostrando jovens casais, de roupas confortáveis, tomando café. Tive receio de que perdera a receita para sempre.

A bebida cremosa estava menos quente; seu sabor parecia morrer junto com a lembrança daquela noite. Ao perceber que a memória não havia desaparecido para sempre e era tão lenta quanto as almas após a morte, pedi mais uma xícara da bebida cremosa, que em outras circunstâncias teria me enojado; agora eu a desejava como se fosse o elixir da juventude, capaz de curar minha idade provecta. "A mesma, senhor?", perguntou a jovem garçonete. "Desculpe-me, mas antes, por engano, lhe servi café com sabor de amêndoas." A pobrezinha parecia nervosa, mas, de tanta gratidão, quase lhe beijei as delicadas mãos brancas; foi o gosto doce das amêndoas que despertou a beleza adormecida nas florestas escuras da memória do passado, lembrando-me do Amaretto di Saronno que eu havia experimentado pela primeira vez naquela noite com Ursula Patrignani, à luz de gás entre os crisântemos. A garçonete sorriu ao servir aquilo que para ela nada mais era do que outra bebida, mas para mim aquele líquido era uma poção alucinógena que abriria as portas da percepção; sua consciência mal havia registrado minha presença, pois eu estava parcialmente em seu mundo, optando por sondar aquele portal a verdades que residiam num mundo mais real do que o dela.

Dessa vez fechei os olhos e dei um gole demorado, percebendo que o que eu procurava não estava no *capuccino*, mas dentro de mim. A poção coberta de neve era meu guia para o mundo subterrâneo e ajudaria a libertar a âncora que segura tão firmemente a memória elusiva nas profundezas de minha consciência.

Separado dos outros, agora conversávamos; escondidos pelos crisântemos e sabendo que ninguém deveria perceber que eu parecia um tolo, reuni minha coragem, decidido a pedi-la em casamento naquele momento e naquele lugar, mas quando abri a boca para falar ela gentilmente me ofereceu uma colher daquela mistura maravilhosa, e eu fiquei quieto. Nunca antes aceitara comida servida desse modo a não ser de minha mãe, quando me dava o remédio antes de dar um beijo de boa noite. Enquanto sorvia a poção celestial fui tomado por uma coragem desconhecida; eu tinha de fazê-la entender o que sentia. "Estou sentindo algo que nunca experimentei antes", eu lhe disse, mas antes de continuar, ela falou.

"É, isso sempre acontece com as pessoas na primeira vez. O *tiramisu* do *chef* é simplesmente divino; papai diz que nos salvou de milhares de incidentes internacionais e que sem o *tiramisu* ele nunca teria conseguido manter a paz na Europa. Madame Verdurin tentou de todos os modos obter a receita, mas papai não a entregaria nem ao duque de Milão." Meu sentimento por ela era tão intenso que comecei a ficar tonto, confundindo os pensamentos com a fala e não tinha certeza se havia dito em voz alta ou se pensado com meus botões. Sentiria ela algo por mim? Poderia ela encontrar em seu coração algo parecido com o profundo sentimento que eu nutria por ela? Sem querer, falei em voz alta "Preciso saber". Não sei se ela realmente não entendeu ou se optou por interpretar minha pergunta de forma faceira, de tal modo a manter viva a torturante dúvida que tornava minha mente tão febril, ela continuou, "Já vai saber. O *chef* sempre começa com o café, fresco e forte, mas esfriado no gelo, para que não dissolva os biscoitos champanhe inglês, que sempre vêm da Itália. Ele coloca os biscoitos no café, virando-os antes de colocá-los numa vasilha para fazer a base de sua criação. O segredo é que ele sempre acrescenta o Amaretto ao café, que é reservado por perto durante todo o processo". Eu mal conseguia me manter em pé. "Em seguida ele pega os ovos e separa as gemas, e mistura com açúcar para fazer um creme. As claras ele bate até formar um pico nevado." Atirar-me daquela montanha coberta de neve.

"Então ele junta as duas misturas", ah, união abençoada, "antes de acrescentar um pouco do mascarpone de uma vez e as gotas finais de Amaretto. Ele espalha a mistura cremosa sobre os biscoitos champanhe e continua com as camadas alternadas até a última camada de creme, que ele polvilha com o chocolate em pó passado pela peneira, cuidando para não perder nada." Nesse ponto eu cambaleei e desmaiei. Quando recuperei a consciência, estava em minha cama, em Combray, minha mãe tocando meu ombro para me acordar. Com o toque de sua mão, melhorei. "Perdão, mas será que senhor poderia ir para uma mesa menor?" Um grupo de jovens mães com carrinhos de bebê esperava à porta, olhando para mim. Minha xícara estava vazia na mesa e eu saí a caminhar pelo agitado bulevar parisiense.

Coq au Vin

à la Gabriel Garcia Márquez

3,5 kg de frango
800 g de cebolas pequenas
200 g de bacon
5 dentes de alho
3 talos de salsão
3 alhos-porós
Sálvia
Azeite

Marinada:
2 cebolas médias
1 ramo de alecrim
1 maço pequeno de tomilho
3 cravos-da-índia
Sementes de coentro
Grãos de zimbro
Sementes de mostarda
Pimenta em grão
1 l de vinho tinto

O padre Antonio del Sacramento del Altar Castañeda estava no jardim, assistindo a tarde agonizar. A escuridão começara a ficar tão pesada quanto o calor e, enquanto foi possível, ele se absteve de entrar no inferno da casa. Mas já fumara o último charuto e, porque não tinha armas contra os mosquitos, viu-se forçado a se retirar para o interior iluminado a gás.

A luz da cozinha o cegou, quando fechou a porta para evitar o enxame. Deu um tapa no pescoço, matando um intruso alado antes que este pudesse se refestelar, e ficou refletindo sobre os últimos acontecimentos. Naquele mesmo dia visitara o assassino Fidel

Agosto Santiago para ouvir sua confissão, mas o prisioneiro disse não estar preparado. Santiago faria sua última ceia na noite seguinte, e como o condenado se recusava a aceitar a comida de sua esposa, o padre assumira essa responsabilidade para si. Encheu o quarto com inseticida e começou a tossir.

Olhou culpado para Tobaga, a altiva mulata que preparava suas refeições noturnas nos últimos quinze anos. Observá-la na cozinha era um prazer que ele negara a si mesmo nos anos mais venéreos, mas aquele apetite era um leve ardor, cujo calor da brasa só poderia ser extinto por uma tentativa de reabastecimento. Enquanto ela lavava as mãos, ele sentiu necessidade de urinar e saiu da sala. O seu jato outrora vigoroso, que reverberava na tina o barulho de um garanhão galopante, reduziu-se a um gotejo cujo intenso cheiro de amoníaco rivalizava com os vapores vindos do pântano ao anoitecer, enchendo-lhe a alma com a tristeza da decadência.

Quando voltou à cozinha, Tobaga estava preparando a marinada que iria banhar durante dois dias o jovem galo, a ave mais robusta. "É para Fidel. O empregado do Sírio veio hoje com o jovem galo." O padre se sentou e pensou sobre a tarefa que o aguardava na prisão, mas foi despertado de seus pensamentos pelo barulho de Tobaga cortando a ave em pedaços. Cada vez que abaixava o cutelo, o vestido se mexia e os contornos de seu corpo ficavam mais visíveis. Ela jogou a cabeça numa tina e o padre Antonio sentiu uma picada no pescoço, antes de abaixar a mão e matar o último sobrevivente do cerco anterior.

Tobaga cortou duas cebolas em fatias e juntou ao frango na panela. Cobriu os pedaços com vinho e, enquanto eles ficaram no líquido vermelho-sangue, ela acrescentou os grãos de zimbro, sementes de coentro, mostarda e pimenta, cravo-da-índia e, por fim, o alecrim e o tomilho. Depois deixou a vasilha para marinar na despensa de mármore, o único lugar fresco da casa, para onde padre Antonio se retirava nas tardes de calor insuportável.

"Quando é que a comida fica pronta?", perguntou.

"A marinada deve permanecer por 48 horas", respondeu Tobaga.

"Pode ser menos tempo?"

Ela olhou para ele, seus olhos pareciam amêndoas douradas. "Para uma ave dessas?" E ele soube que não era possível. O galo havia sido um presente do Sírio. Conhecido por El Jaguarcito, o Pequeno Jaguar, tinha sido o mais bem-sucedido dos galos de briga. Havia proporcionado uma pequena fortuna ao Sírio, e seu sacrifício era uma marca da dívida que sentia pelo homem condenado. O padre fingia não ver o jogo e o derramamento de sangue das brigas de galo, mas conhecia bem o suficiente a reputação de El Jaguarcito para entender. "Vou falar com o prefeito pela manhã."

Padre Antonio se levantou às 5h, como sempre fazia, e vestiu-se na escuridão. Do lado de fora a alvorada se esforçava para surgir enquanto ele percorria o curto caminho para a igreja. A nuvem carnívora descera mais uma vez e ele vestiu o capuz de sua batina até chegar com segurança à igreja. Quando os fiéis chegaram, cada um trazendo seu sofrimento, um vazio oprimiu a igreja. O insone já estava lá; havia um boato que ele não dormia há 75 anos, a não ser durante a missa. A segunda a chegar foi uma mulher, que há pouco perdera o segundo filho; como o primeiro, um cão raivoso o havia mordido, mas antes que a raiva chegasse ao ponto culminante, ela o envenenara. A última a chegar foi a esposa do condenado. O padre falou sem convicção e a missa foi curta. Quando chegou a hora de ir embora, parou para tirar uma barata da testa, e seguiu em direção à casa do prefeito.

Como uma marionete, cujas cordas podem quebrar a qualquer momento, a cidade estava agitada. Duas araras negras voaram sobre sua cabeça e o padre apressou o passo. Surgiu um rapaz de um abrigo temporário à margem do rio e uivou para a lua; ele riu de sua graça e o padre tremeu. Mais adiante, ele ultrapassou uma família que parecia estar levando todos os seus bens em uma carroça. Uma garotinha ia à frente, andando solene, levando um vaso negro de peônias, e um menino atrás da família segurava uma gaiola com uma pomba branca.

O prefeito não acabara de se vestir e estava sentado com os suspensórios sobre os ombros nus. A esposa não cumprimentou o padre, apenas serviu café aos dois homens em silêncio, olhando com suas olheiras profundas. "Graças a Deus", disse o prefeito. "Mais duas horas antes de começar a suar de novo."

"Preciso de uma suspensão temporária da execução." O padre disse, sem levantar os olhos de seu café.

"Impossível. Os soldados estão a caminho. Vão chegar amanhã."

"Ele pediu *coq au vin* e demora dois dias para preparar."

"Então é verdade que o Sírio matou El Jaguarcito?"

"El Jaguarcito está numa panela na minha cozinha."

O prefeito fez o sinal da cruz. "Não pode ser cozido hoje?"

"Tobaga diz que seria um crime de lesa-majestade. Não podemos servir a Fidel Agosto Santiago uma última ceia meio crua."

O prefeito não tinha interesse em desapontar o padre Antonio, nem o condenado, que já havia sido em outras épocas o melhor *chef* do lugar. Deu um gole no café e andou até o terraço. "Se eu concordar será para honrar o Pequeno Jaguar, e não por solidariedade ao Fidel Santiago." Padre Antonio sabia que tinha dado certo.

"O senhor virá à missa no domingo?", o padre perguntou, ao sair.

"Reze por mim, padre."

Um troupial cantava enquanto o padre se dirigia à prisão. Fidel Santiago estava jogando cartas com os guardas. Um dos soldados tinha perdido seu cavalo para o prisioneiro. A cadeia cheirava a fumaça de cigarro e o padre tossiu. Quando o padre Antonio contou as novidades para Fidel, o condenado deu um suspiro profundo. "Diga a ela para não esquecer a sálvia, padre, só algumas folhas."

Os homens voltaram ao jogo e o padre saiu no calor cada vez mais intenso.

Na véspera da execução o padre Antonio pegou seu lugar na mesa da cozinha e espalhou as contas da igreja. Tobaga fez o sinal da cruz e tirou os pedaços do Pequeno Jaguar da marinada e deixou escorrer. Esquentou numa panela o azeite e acrescentou as cebolas pequenas inteiras. Picou o bacon em pedacinhos e também colocou na panela. Nessa mesma arena, colocou aos poucos e com muito cuidado os pedaços do Pequeno Jaguar. Os pedaços do corpo soltavam faíscas furiosas ao tocar no óleo quente. Quando a carne ficou dourada, Tobaga cobriu a carnificina com a marinada vermelho-sangue e El Jaguarcito ficou quieto para sempre. Ela cortou as cenouras delicadamente, seus seios pulando a cada toque da lâmina na tábua de cortar. Os dentes de alho ela deixou com casca, tão seca quanto as crisálidas adormecidas de borboletas que nunca nascerão. Juntou à mistura, antes de acrescentar o salsão, o alho-poró e os temperos. Tampou a panela; a chama ardeu inquisitoriamente na base, quando ela deixou em aquecimento médio por cerca de uma hora. Sem tocar nas contas, o padre Antonio fechou os olhos e mergulhou numa *siesta*, enquanto Tobaga mantinha vigília, não permitindo que a água da panela secasse, sempre acrescentando o líquido da marinada.

Quando chegou a hora, Tobaga tirou os pedaços de El Jaguarcito do molho. Quando ela fez isso padre Antonio acordou com um sobressalto. "Pode dormir. Vou acordá-lo quando estiver pronto", disse Tobaga.

"Eu estava sonhando que a comida estava envenenada e que o pelotão de fuzilamento, recusando-se a ser enganado, me colocou no lugar dele."

"Eles ainda podem vir atrás do senhor."

Tobaga coou o molho e depois de mexer e experimentar com o dedo, acrescentou mais sal e continuou a cozinhar. Quando ficou com a consistência que queria, colocou os pedaços do jovem galo no líquido e acrescentou as folhas de sálvia. Quinze minutos depois acordou o padre com um olhar. "O galo está pronto", ela disse e percebeu o medo nos movimentos dele, ao levantar. "Posso levar a comida para ele, se o senhor quiser", ela disse.

"Você pode ir mais tarde, mas eu vou ouvir a confissão antes. Ele não vai comer se não tiver a consciência tranquila." E o padre Antonio pegou o prato e saiu no calor da noite. Enquanto observava, Tobaga viu a nuvem carnívora descer e segui-lo; os mosquitos se alimentariam até a prisão.

Risoto de Cogumelo

à la John Steinbeck

Azeite de oliva extra virgem
25 g de funghi secchi porcini
3 champignons frescos
1 cebola
2 dentes de alho
200 g de arroz arbóreo
500 ml de caldo de vegetais
Sal e pimenta
60 g de queijo parmesão
1 copo de vinho branco

Os porcinis estavam secos e enrugados, as fatias retorcidas pela sede, com a cor da terra árida. Quando por fim a água caiu, primeiro apenas alguns pingos, eles beberam tudo que puderam, mas logo foram cobertos com o líquido revigorante. Os fragmentos ressequidos recuperaram sua forma anterior, suas contorções mudaram pela dádiva da água, em uma massa indolente, brilhando. Aquilo que antes parecia uma vasilha com casca de árvore, agora tinha a cor brilhante da carne cozida, o marrom avermelhado do solo úmido tomara o lugar da argamassa seca como a terra do Arizona. A cozinheira deixou-os de molho por 45 minutos.

O primeiro azeite, extra virgem, foi colocado na panela pesada e quando a chama lambeu o metal, o azeite ficou mais líquido. Ao tocá-los, os cogumelos frescos davam sensação de frio. Sua pele fina e seus corpos brancos macios se juntaram à faca, e as fatias se acumularam na tábua de cortar. A cozinheira franziu o nariz ao sentir o cheiro de azeite fervendo e diminuiu o fogo antes de fritar os champignons. Sua carne pálida estava saturada do azeite verde, e quando o calor invadiu a panela, eles ficaram marrom dourado, sua perfeita superfície fosca agora flamejava com um brilho oleoso.

O calor estava irresistível e por toda a parte. O fogo reluzia estável e contínuo; sem piscar, a chama agia na parte de baixo da panela. A cozinheira enxugou a fronte com a mão ao se voltar para os cogumelos, tostados na panela. Quando ficaram prontos, foram colocados de lado. Acrescentou azeite fresco. Colocou os porcinis numa peneira; reservou sua água salobra e escura para usar depois. Não desperdiçou nada. Os porcinis peneirados deslizaram chiando no óleo quente, que brigou com a água de sua carne. Com um tampa, a cozinheira calou a voz dos porcinis. O vapor condensou na parte de dentro da tampa e pingou na panela, recriando o ciclo das chuvas.

Suas mãos, com calos e cicatrizes, descascaram a cebola e o alho antes de cortá-los em pedaços pequenos. Ela sabia que os porcinis ficariam bons se a panela não secasse; umidade seria necessária dali para frente. Também os porcinis foram reservados ao ficarem prontos, e a cebola e o alho tomaram seu lugar. Seu aroma ascendeu como uma nuvem e a cozinheira se afastou, os olhos incomodando. A cebola ficou transparente e macia e soltou água. Ela cobriu os vegetais com a tampa. Eles murmuraram e choraram até se tornarem uma suculenta papa macia. Em seguida o arroz se precipitou sobre a cebola e o alho, cada grão brilhando ao ser mexido no azeite. Uma chuva seca, que procurava umidade por onde caía, o arroz começou a absorver o líquido. Quando o caldo dos porcinis foi acrescentado, houve um barulho impetuoso e borbulhante, como as ondas quebrando na praia Pebble, e os grãos brancos começaram a crescer aos poucos. Logo o líquido acabou. O tempero foi acrescentado e o caldo de vegetais se fez necessário, aos poucos, como o movimento das estações.

O queijo parmesão estava duro e seco. A cozinheira ralou o pouco que tinha. Ralou o queijo de modo grosseiro, como milho no trilhador; ralou o queijo delicadamente, como floco de neve; ralou o queijo em serragem, como madeira atirada da plaina de seu marido. Dividiu o parmesão e misturou a metade no arroz quase cozido, junto com os champignons e os porcinis. A mistura ficou grossa e ela despejou um pouco do vinho branco antes de mexer pela última vez.

Ela dividiu a mistura com cuidado nas tigelas rachadas e colocou o resto do parmesão. Não era carne com batatas, mas, finalmente, sua família comeria naquela noite.

Galeto Recheado

à la Marquês de Sade

2 galetos
85 g de manteiga
1 cebola grande
110 g de champignons fatiados
55 g de farinha de rosca
2 colheres de salsinha picada
Raspa de casca de um quarto de limão
30 g de ameixa seca, deixadas de molho
Sal e pimenta-do-reino ralada na hora
Meio ovo batido
170 g de cebola, cenoura, nabo e salsão picados
290 ml de caldo de galinha
1 folha de louro
Agrião para enfeitar

Não seria o supremo objetivo da gastronomia esclarecer a confusão de ideias que confronta a humanidade e dar orientações ao infeliz bípede de como se comportar e administrar seus apetites? Atingido continuamente pelos estudos de cientistas, pelas invenções dos nutricionistas, pela moda de donos de restaurantes e pelas dissimuladas campanhas de

C. 05

marketing de milhares de associações comerciais, seu próprio gosto em geral é o último ponto de referência. A tirania do politicamente correto, questionando-o ainda mais, faz dele um homem que evita espécimes em perigo de extinção, agricultura industrial, destruição de florestas, modificação genética e massacre desumano. Se ele for tão azarado a ponto de ter uma religião, então, provavelmente, vai viver uma vida mesquinha, com uma camisa de força gastronômica bem apertada. Ao se equilibrar nessa corda bamba culinária, ele acredita que vai receber sua recompensa com uma vida longa, saúde boa, superioridade moral, no paraíso vindouro. Mas à sua volta nosso infeliz vê bons vegetarianos arrancando margaridas, corações de abstêmios se apertando e fóbicos a açúcar fazendo fila na sala de espera de dentistas. Leitor, reconheça que todos esses anos de abstinência e sua crença ingênua em iogurte sem gordura não lhe impediram de ter uma barriga grande, um queixo duplo e um impulso sexual desajustado. Uma vida de dietas lhe rendeu um rosto atormentado e enrugado pelo severo julgamento de seus colegas comensais e suas longas e solitárias noites.

Nem todos os nossos mais respeitados *chefs* comem os pratos que recomendam com tanta convicção e há vários cujos apetites são mais bem expressos atrás de portas fechadas. Com essas observações em mente, pegamos a pena e em nome da sabedoria pedimos-lhe, leitor, sua atenção total para essa receita que recomendo, e que me foi dada por uma jovem inocente, Justine, que recentemente teve a sorte de viver sob minha tutela.

O juiz Hugon era um desses sumos sacerdotes da abstinência, conhecido por sua correção. Usando roupas pretas e brancas, suas visitas à igreja local impingiam medo no pregador, que sentia o olhar do juiz sobre si como se o Todo Poderoso estivesse presente ao julgamento. O juiz era conhecido por sua integridade em todos os assuntos e sua casa, frequentada por advogados e políticos, era uma fortaleza do politicamente correto. O juiz havia feito um voto de abstinência de todas as comidas indignas: bacalhau ameaçado, atum não sustentável, camarão cultivado em meio à destruição de mangues, e a carne de todas as criaturas vivas com almas. Por fim, o que ainda o colocava acima de seus pares, a esposa, depois de dar a luz a três crianças lindas, pediu-lhe para dormir no quarto de hóspedes.

Certa tarde, uma batida à porta tirou a atenção do juiz de sua correspondência. Viu à porta uma jovem com ares tímidos, a fisionomia delicada era o retrato da modéstia. Sua aparência virginal e seus grandes olhos azuis, sua pele clara, dentes alvos brilhantes e lindo cabelo loiro demonstravam uma candura e boa-fé que certamente a levariam a ter problemas. A charmosa jovem era, na verdade, a filha do açougueiro local, e quando o entregador de seu pai ficou doente, com boa vontade ela ofereceu seus serviços. Por não entender a escrita rudimentar de seu pai, tinha lido errado o endereço e se encontrava naquele momento no número 27 da rua onde vivia um conhecido *bon vivant*, em vez de entregar os dois galetos no número 21, residência de um homem que renunciara a todos os prazeres envolvendo a carne. Esta é a história como ela me contou:

"A casa era majestosa e no fim de uma rua comprida cercada de ambos os lados por uma sebe alta. A porta pintada de preto parecia tão grandiosa que, de fato, senti um assombro e, sabendo que era muito tarde para fazer entregas, por causa da minha falta de sorte no estacionamento dos residentes, eu não estava preparada para a pessoa austera que abriu a porta para mim. 'Oh senhor, desculpe eu chegar tão tarde com seus galetos. Minha *van* ficou presa e tive de terminar as últimas entregas a pé.' Eu devia estar com a aparência exausta do meu esforço e minha voz pareceu emocionar o juiz. 'Criança adorável, eu lhe perdoo', ele disse sem respirar. 'Não quer entrar e beber alguma coisa?' Olhando para os lados, ele pegou o pacote de minha mão e me levou a um corredor comprido. Não estava frio dentro da casa, mas vi que ele tremia ao fechar a porta. 'Tenho certeza que podemos cuidar de sua *van*.' O juiz me fez responder várias perguntas, enquanto ele ouvia com ares de grande devoção. 1. Sua casa era mesmo a última entrega do dia? 2. É verdade que eu não estava sendo esperada naquele momento na loja de meu pai? 3. Tinha certeza que

depois de terminar as entregas, eu teria um dia de folga?
4. Tinha estacionado a *van* longe da casa?

"Quando ficou satisfeito com essas dúvidas, ele pareceu relaxar. 'Muito bem, criança, então ninguém vai sentir sua falta por algum tempo, e nós temos muito tempo para cuidar dessas aves, ou melhor, cuidar do seu carro preso. Deixe-me fazer um telefonema; meu escritório tem poucas vantagens, mas não a ponto de eu não conseguir lhe ajudar nessa situação desagradável.'

"Ele era um homem grande, com a barba bem feita, a pele alva e olhos cinza penetrantes, e, por algum motivo, eu começava a me arrepender de ter aceitado sua ajuda. 'Já lhe dei muito trabalho, senhor; vou voltar a pé para a loja e contar a meu pai.' Isso pareceu deixá-lo nervoso: 'Você tem medo de um membro da tribuna de Sua Majestade? Não acredita que eu apenas aja de um modo justo? Como ousa?' Ao dizer isso, me agarrou pelo punho e me empurrou para o que parecia ser a despensa. Ouvi a porta ser trancada do lado de fora e me vi sozinha no escuro. Bati na porta, pedindo ajuda, mas como não tive resposta, desisti de gritar. Quando meus olhos se adaptaram à escuridão vi que estava numa despensa pequena, e nas prateleiras havia pacotes enfileirados de macarrão integral, aveia livre de OGM, pacotes de biscoitos de arroz e potes de geleia sem açúcar. Quando vi o buraco da fechadura, me abaixei para dar uma olhada. A visão que tive me fez tremer. 'Oh, meu Deus do céu, serei vítima de minha boa natureza e devoção filial?'

"Lá fora, o juiz estava tirando a embalagem deixando à mostra duas gordas aves brancas, quase puro peito. Vi seus olhos arregalarem e ele começou a falar com os dois galetos. 'O que temos aqui? Duas avezinhas travessas.' Enquanto falava, deu um tapinha brincalhão em uma delas. 'Vamos ter que lhe ensinar uma lição.' Colocando a mão nas duas aves, deu-lhes um beliscão. 'Não há o que temer, minhas franguinhas; eu é que sou pervertido. Enquanto quebro meus votos aos céus e aguardo um julgamento severo, suas almas inocentes se empoleiram no paraíso.'

"Então ele começou a desossar os galetos com uma faca. Tenho certeza de que meu pai deve ter feito isso muitas vezes, mas nunca antes tinha assistido. O juiz estava trabalhando nisso e o suor caía de sua fronte nas robustas aves brancas. Passou algum tempo fazendo força e resmungando enquanto trabalhava, usando tal linguagem, que espero que me perdoe por não repetir as palavras de seu discurso horroroso. Fazendo uma pausa, ele levantou os olhos em direção à despensa, de onde eu testemunhava seus abusos, tremendo pela minha segurança, e ele pareceu se dirigir aos galetos: 'Bem, minhas franguinhas, vocês estão desossadas. Mas ainda há muito a ser feito; que tal serem estufadas?' E ele pegou um pacote de manteiga e colocou um pedaço na panela para derreter com o calor, enquanto o vilão picava uma cebola grande. Continuou a cozinhar a cebola, acrescentando alguns cogumelos frescos fatiados. Enquanto eu o observava picando a salsinha, o aroma da comida começou a se dirigir ao buraco da fechadura e porque meu apetite me lembrou que eu não havia comido desde o café da manhã, por alguns momentos esqueci de minha situação desagradável.

"Logo fui lembrada de minha posição quando meu capturador começou falar com seus botões. Embora eu não pudesse ouvir direito, entendi as palavras 'fruta suculenta, branca, fresca' e quase desmaiei de medo quando vi que ele dava passos em direção à porta de minha prisão. Cobri os olhos e, instintivamente, me agachei no chão. A porta se abriu e ouvi seus passos na despensa. Depois ouvi o tilintar de vidro, e a porta bateu de novo, quando ele saiu. Teriam os meus soluços despertado alguma compaixão naquele monstro? Olhei pelo buraco da fechadura, com a esperança de vê-lo duvidar sobre seus atos vis, mas fui surpreendida ao vê-lo arrumando três potes na mesa: ameixa seca, damasco seco e farinha de rosca. Ele juntou a farinha de rosca e um punhado da salsinha picada à cebola, antes de ralar a casca de limão por cima e colocar as frutas secas picadas. Juntou sal e pimenta e, por fim, o ovo batido.

"Todo o tempo os olhos do juiz pareciam enlouquecidos por uma imensa fome que perturbava seu julgamento, deixando-lhe apenas com a determinação de satisfazer o apetite material sem controle ou obstáculo; eu tremia ao assistir essa irrupção. A camisa branca, que parecia tão bem lavada, estava respingada com manchas de sangue e de manteiga. Assisti, petrificada, quando ele lambeu os dedos com o ovo batido e depois os limpou na camisa. Se tivesse aberto a porta nesse estado, ele nunca poderia ter se aproveitado de minha ingenuidade. Pegou os dois galetos, colocou-os diante de si e começou a estufá-los com a mistura. Eu não sabia que a pequena ave aguentava tanto recheio, mas ele continuou, com uma linguagem que meus ouvidos não suportavam até que as aves não podiam mais. Então pegou uma agulha e uma linha, costurou as partes abertas e modelou com as mãos as criaturas brutalizadas à sua forma anterior. Colocou outro pedacinho de manteiga num grande prato que vai ao fogo e enquanto fervia com o calor, dourava os galetos por igual. Enquanto isso, o vilão havia cortado alguns legumes – cebola, nabo, cenoura e salsão – e trocou isso pelos galetos dourados, acrescentando mais manteiga. Não deu para ver direito, mas acho que assim que os legumes ficaram dourados ele colocou os galetos de volta na panela e acrescentou o caldo de galinha. Fiquei petrificada ao ver que usou caldo industrializado; se o canalha não tivesse tanta pressa, poderia ter feito um caldo fresco usando os ossos dos frangos. Colocou a folha de louro e os temperos e tampou a panela, deixando ferver em fogo brando por 45 minutos. Devo ter desmaiado, porque quando abri os olhos, os galetos cozidos foram colocados no forno para ficarem quentes, e o juiz Hugon estava peneirando os legumes para extrair seu suco. Dispensou as sobras dos legumes amassados e continuou a ferver o líquido. Pelo jeito que ele olhava a colher, creio que estava esperando que tivesse a espessura de mel.

"Receava que assim que a miserável criatura satisfizesse seus desejos mais prementes não demoraria muito para que o excesso de indulgência transbordasse e eu seria o prato a alimentar seus desejos mais primários. Vi que havia uma abertura para ventilação na despensa que poderia ser aberta, se eu conseguisse chegar lá e disfarçar o barulho de minha fuga. Subi nas prateleiras, comecei a gritar para sair e joguei no chão as caixas de sal e leite de soja. Como suspeitei, meu sequestrador estava concentrado nas aves estufadas e não me deu a menor atenção. Ao mesmo tempo eu comecei a bater na abertura para ventilação com uma lata de patê vegetariano. Por fim, a estrutura cedeu; quando a luz invadiu a despensa vi que no chão havia uma poça de um líquido branco feito de leite de soja e arroz escorrendo embaixo da porta. Sem perder tempo, espremi meus ombros pela abertura e balancei as pernas. Encontrei-me num lugar entre duas casas. Mal conseguia ficar em pé, de tanto medo e alívio; fui em direção à casa do vizinho, onde havia uma placa em cima da porta com os dizeres 'Senhor Michael Mead, Membro do Parlamento'; ali havia com certeza alguém com autoridade para ajudar uma pobre donzela em apuros e que daria ao juiz o que ele merecia. Toquei a campainha e desmaiei."

Dá para imaginar o pesar do político ao encontrar a pobre criatura na soleira de sua porta, com a roupa manchada e o pulso fraco. Quando Justine recuperou os sentidos no sofá, o parlamentar confortou a jovem infeliz, enquanto ela inundava o fino tecido de sua mobília com lágrimas, até que elas acabaram e ela pode contar os inomináveis acontecimentos daquele dia. Enquanto ela falava, o bondoso homem se preocupou em remover todos os sinais de seu sofrimento: serviu-lhe os petiscos mais delicados para restaurar-lhe as forças, e enquanto suas roupas foram levadas para lavar, ele providenciou a liberação do carro de entregas de seu pai. Quando Justine saiu da casa do político honrado, com a certeza de que as acusações contra o juiz Hugon teriam mais chances de dar certo se fossem feitas por um homem influente como ele, ela se sentiu segura de ter encontrado um protetor, um homem poderoso de bom coração e respeito pelos mais fracos.

Nenhum escândalo se seguiu; a reputação do juiz não estremeceu. Pouco tempo depois desses eventos ele foi promovido, e seu vizinho, o honorável parlamentar, tornou-se ministro do governo. Os dois homens tinham muita influência nos assuntos locais e apoiaram uma rede bem-sucedida de supermercados que queria abrir uma enorme filial na elegante vizinhança. Em pouco tempo, a loja do pai de Justine faliu, levando também sua saúde. A devota filha se viu obrigada a pegar um trabalho noturno num estabelecimento de quentinhas de frango frito. E foi assim que tive a sorte de descobri-la nesse lugar, certa noite.

Você, que derramou uma lágrima pela desgraça de alguém tão virtuoso; você, que sentiu compaixão pela infeliz Justine, conforte-se. Se, por razões que não nos cabe entender, Deus permitiu que ela fosse perseguida na terra, é apenas para recompensá-la no paraíso no mundo vindouro.

Clafoutis Grandmère

à la Virginia Woolf

500 g de cerejas
3 ovos
150 g de farinha
150 g de açúcar
10 g de fermento, diluído em água quente, se necessário
100 g de manteiga
1 xícara de leite

Ela colocou as cerejas em um prato untado e olhou pela janela. As crianças corriam pelo gramado, Nicholas já estava nas moitas de lírios-tocha, virando-se para esperar pelos outros. Lembrando-se das cerejas, que não seriam descaroçadas, bolinhas vermelhas sobre o branco, tão alegres e iluminadas, a casca difícil e invisível, compadecida ela pensou na sra. Sorley, aquela pobre mulher sem marido e com tantas bocas para alimentar, a sra. Sorley que conhecia a vida dura mas não a ternura; e ela colocou o prato de cerejas de lado.

Aos poucos derreteu a manteiga, macia e transparente, gordurosa e límpida, purificada e dourada, e misturou com o açúcar numa vasilha grande. Poderia ter feito algo tradicionalmente inglês? (Involuntariamente, pilhas de bolo

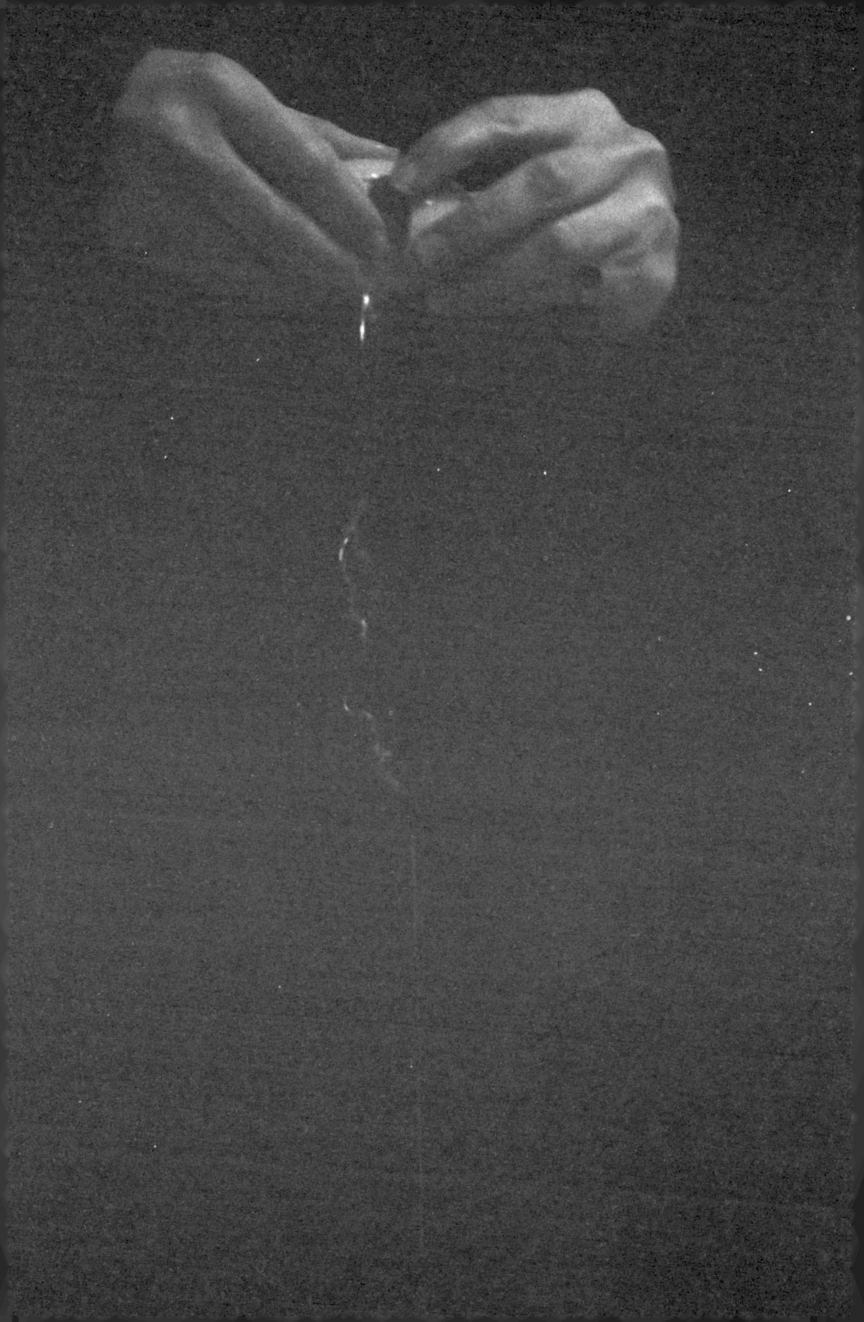

surgiram diante dos olhos.) Claro que a receita era francesa, de sua avó. A cozinha inglesa era abominável: repolho cozido em água até ficar líquido; assar a carne até murchar; cortar os temperos com uma faca cega.

Acrescentou um ovo, pausando para olhar para o jasmim, sua cor tão realçada contra o fundo branco da parede. Não seria maravilhoso se Nicholas se tornasse um artista importante, a vida toda diante de si, uma tela vazia, formas vívidas coloridas ficando aos poucos mais claras? Haveria amantes, triunfos, as cores escurecendo, o trabalho, a solidão, a luta. Ela desejava que ele pudesse permanecer desse jeito, eles eram tão felizes; o céu estava tão claro, nunca mais seriam tão felizes de novo. Com muita serenidade ela juntou um ovo, pois não era descendente da nobre família francesa cuja progenitura feminina levara sua arte e energia, seu sentido de cores e formas, inteligência e equilíbrio para os letárgicos ingleses? Ela juntou um ovo, cuja esfera amarela, ao cair na vasilha convexa se quebrou e entornou, como o Vesúvio irrompendo na mistura, como o sol se pondo no mar leitoso. As cascas quebradas pareciam duas cúpulas diferentes no balcão e toda pobreza e todo sofrimento da sra. Sorley tinham se reduzido a isso, pensou.

Quando chegou a vez da farinha foi uma maravilha, sobrou um pouquinho em seu rosto, quando ela colocou um cacho de cabelo para trás, como se estivesse aborrecida com sua beleza e quisesse ser como as outras pessoas insignificantes, sentada à janela com sua caneta e papel, escrevendo observações, entendendo a pobreza, revelando problemas sociais (colocou a farinha na mistura). Ela era tão controladora (não tirânica, nem dominadora; não se importava com o que as pessoas diziam), ela era como uma flecha indo em direção ao alvo. Teria gostado de construir um hospital, mas de que maneira? Por enquanto, havia o clafoutis para a sra. Sorley e seus filhos (acrescentou o fermento, diluído em água quente). O fermento, alimentado pelo calor do forno, faria com que a mistura se levantasse como uma coluna de energia até que uma árida faca masculina a cortasse sem piedade, mergulhando-a na cúpula e deixando-a achatada e exausta.

Aos poucos ela acrescentou o leite, parando só quando a mistura ficou líquida e lisa, macia e homogênea, sem pedacinhos e clara, pausando para lembrar suas observações sobre a perversidade do sistema de lacticínios inglês. Levantou os olhos: qual demônio possuía seu filho mais novo, brincando no gramado, demônios e anjos? Por que deveria mudar, por que não podiam ficar desse jeito, sem envelhecer? (Colocou a mistura sobre as cerejas no prato.) A cúpula se tornaria um círculo, as cerejas cercadas pela mistura fermentada que as embalariam e amorteceriam, a mistura fermentada que as cercavam todas, a casa, o gramado, os asfódelos, o endiabrado Nicholas correndo pela janela, enquanto ela a colocou no forno quente. Estaria pronta em trinta minutos.

Fenkata

à la Homero

1 coelho
2 cebolas
2 dentes de alho
Azeite de oliva extra virgem
10 tomates médios descascados
1 colher de molho de tomate
Tempero para coelhos (2 raminhos de tomilho e alecrim,
e um punhado de salsinha lisa, picados)
75 ml de vinho tinto
2 batatas médias, descascadas e cortadas em pedacinhos
2 cenouras descascadas e cortadas
Um punhado de ervilhas, preferivelmente petit-pois
2 folhas de louro
Tempero

Canta, ó deusa, a fome do filho de Peleus, Aquiles.

Narrai, musas do Olimpo, filhas de Zeus, dos famigerados acadianos, cujos suprimentos ficaram obsoletos e deteriorados, enquanto eles atacavam as grandes muralhas de Ilion, durante dez longos anos. Vós que tudo sabeis, enquanto que nós apenas rumores ouvimos e nada sabemos, contai da perspicácia do

engenhoso Odisseu, que ao ver a fome se espalhar entre os armígeros acadianos, como o apagar de luzes acesas na imensa floresta até o topo da montanha, não ficou apavorado, mas foi para frente com seu arco e caldeirão de bronze.

Agora, quando a aurora de dedos rosados aparecia, Odisseu se volveu ali mesmo onde dormia e atirou a flecha por cima do ombro. Amarrou as belas sandálias embaixo de seus pés resplandecentes e continuou seu caminho em direção às dunas de areia. De pronto deparou-se com um coelho ligeiro que corria nas dunas, e depois o celeste Odisseu, segurando seu arco e aljave cheio de flechas, esticou o arco diante de si e a flecha voou. Seu alvo não estava errado, mas Apolo, que de longe acerta, ainda estava encolerizado com os armígeros acadianos e enviou a flecha na direção errada, de tal modo que caiu inofensiva na areia. Então, um coelho assustadiço começou a correr para se proteger, tão ligeiro quanto o rio da montanha ganha velocidade antes de desaparecer por detrás de uma rocha brilhante, só para aparecer mais adiante em algum lugar inesperado. Mas Atenas apareceu para Odisseu e lhe disse para atirar uma segunda flecha, embora parecesse não haver esperança; e dessa vez ele não perdeu sua força; a flecha de bronze encontrou seu alvo e atravessou o fígado e saiu do outro lado e desfez a força das pernas do coelho e seu sangue negro encharcou a areia e seus olhos se fecharam na escuridão.

Odisseu amarrou os pés da poderosa criatura e colocou sobre os ombros para levá-la ao acampamento dos acadianos na praia do mar cinzento, debaixo da proa dos navios de madeira. Então o veloz e brilhante Aquiles interrompeu seu pranto e saiu da tenda. Amarrou o avental de couro sobre o peito e quadris e tirou a pele do coelho e o cortou habilmente em partes iguais. Então pegou os pedaços e os fritou no azeite de oliva até ficarem marrons e a fumaça subir até o Olimpo, onde os deuses governam os homens. Ao ver que o celeste Aquiles não mais meditava em sua tenda, Menelau criou coragem e chegou com ervas e temperos, que acrescentou ao caldeirão. Então o engenhoso Odisseu misturou o vinho doce na vasilha e despejou na carne e tirou o caldeirão do fogo, para marinar durante trinta minutos.

O filho de Atreu, o poderoso governante Agamenon, cortou as cebolas e verteu lágrimas, enquanto um rio escuro corria pela face de um intransponível penhasco e deixava cair a água turva, mas receando que não fosse adequado para um rei, decidiu não cortar mais. Então Aquiles cortou o alho e num caldeirão separado, entregue por Agamenon, fritou as cebolas e o alho, não parando de fritar antes que as cebolas estivessem douradas. Então acrescentou os tomates, o molho de tomate, os legumes e as folhas de louro para aquecer e ferver durante quinze minutos. Agora o sábio Nestor, com o auxílio de Atenas, persuadiu-os a juntar o conteúdo dos dois caldeirões em um único. Deixaram ferver em fogo brando sobre a parte mais fria do fogão por uma hora, para que o coelho ficasse macio e tenro. Então Aquiles ofereceu uma oração ao poderoso Zeus da fronte ampla e colocou o vinho na vasilha e olhou para o céu. "Grande Zeus do longínquo Olimpo, escutai-me como escutastes antes e me destes a honra de atender o desejo pelo qual orei. Vede como trabalhei com minhas mãos e cozinhei o coelho e dos órgãos vitais fiz oferendas. Assegurai que a comida seja boa e que meu trabalho seja apreciado pelos acadianos, e não apenas quando minhas mãos se tornem invencíveis contra os troianos, e que a refeição seja comida com boa vontade sem disputa entre os soberanos dos espreitadores acadianos." Desse modo fez sua oração e Zeus, o conselheiro-sábio, ouviu o filho de Peleus e lhe atendeu com uma oração, mas não com uma segunda. Ele permitiu que a comida fosse boa, mas se recusou a deixar a refeição passar em harmonia.

No entanto, o talentoso Odisseu estava consciente do apetite dos acadianos e quando o prato ficou pronto pegou o molho para servir de entrada sobre o linguine. Então Agamenon foi para frente e exigiu a porção maior, "pois que sou o rei e o maior de todos, para que nenhum homem me enfrente". Assim ele falou e depois se sentou e a raiva lhe chegou como ao guerreiro Aquiles, de modo que seu coração ficou dividido entre pegar a espada e matar Agamenon ou deixar sua raiva de lado e servir-lhe a pior porção. Então em resposta disse Aquiles para Agamenon, senhor dos homens. "Seu vinho branco seco com um apetite de cão, minha porção ameaças reduzir, eu que tanto laborei. Quando os acadianos cozinham, recebo uma parte igual à sua? Embora sempre a maior parte da arte culinária seja trabalho de minhas mãos, quando chega a hora de dividir as porções, a sua é a recompensa maior."

Então Nestor, o cavaleiro, foi à frente e disse a todos: "Orgulhoso Aquiles, mais do que os outros você é forte na batalha, nenhum dos acadianos diminuiria suas palavras nem falaria contra você, mas não completou seu argumento. Mas deixe-me falar, pois sou o mais velho, e examinar todo o assunto, pois não há o que possa desonrar o que digo. Falarei do jeito que me parecer melhor, e ninguém terá uma ideia melhor do que a que tenho em mente nesse momento, ou bem antes de agora. A sorte está lançada para todos para ver quem ganha qual porção." Assim ele falou e todos marcaram sua sorte. Colocaram tudo dentro do capacete de Agamenon, filho de Atreu. E Aquiles colocou diante deles uma porção, de acordo com sua sorte. A fome de nenhum homem foi ignorada e juntaram as mãos para as coisas boas que tinham diante de si e comeram até matar seu desejo de comida e bebida.

Frango Vietnamita

à la Graham Greene

1/2 colher de chá de casca de limão ralada
3 dentes de alho
2 colheres de caldo de peixe
1 colher de shoyu
1 colher de chá de pimenta-do-reino em pó
1/8 colher de chá de pimenta vermelha
2 peitos de frango desossados
2 colheres de xerez
2 colheres de suco de limão
2 colheres de óleo de amendoim
1 colher de chá de melado

Uma receita não tem começo nem fim: escolhe-se arbitrariamente em que momento as instruções para cozinhar se fazem necessárias, depois de o açougueiro ter feito seu serviço e antes de as atenções para o prato passarem para os caprichos dos convidados. Escolhi o momento de olhar na geladeira, quando vi a despida carne branca do frango. Ao olhar para os peitos senti uma dor atravessando minha cabeça. O barulho dos sinos da igreja anunciou a oração da tarde através do parque ao lusco-fusco, e eu dei um gole no gim-tônica. A água tônica estava velha e tinha perdido o gás,

For I acknowlege my transgressions: and my sin is
ever before me.

deixando um gosto amargo, mas já era tarde demais para conseguir algo melhor. A chuva batia contra a janela, e a água se juntava no peitoril, no lugar que se recusava a fechar. O cheiro do alho picado impregnou minhas mãos, quando eu misturei tudo com a casca ralada de limão, o caldo de peixe e o shoyu, e as pimentas-do-reino e vermelha. Os peitos de frango ficaram no balcão e minha mão se moveu em sua direção, como se guiadas por uma força invisível. Era tarde demais para desistir: ela chegaria em breve.

Como num ritual, fatiei os peitos em tiras delicadas. A carne branca estava no prato, como um contrato rasgado, e depressa eu joguei na marinada. O shoyu e o caldo de peixe respingaram na carne, como tinta fresca manchada. Cobri a mistura e coloquei de volta na geladeira. Mais duas horas seria o ideal, mas se o frango ficasse ali durante meia hora, já estaria bom. Pensei que no futuro faria melhor.

Enquanto a carne marinava na fria escuridão, misturei o xerez, melado e suco de limão. Preparei outro gim, sem água tônica, e liguei o rádio. A música de coral foi interrompida por uma leitura, do salmo 51. Desliguei o rádio, mas eu conhecia o texto e ele continuou silenciosamente em minha cabeça, enquanto eu aquecia o óleo na *wok* até que estivesse soltando fumaça.

Peguei os peitos marinados da geladeira e coloquei-os no óleo fervente, virando-os com um garfo. Quando o frango estava quase pronto, juntei o molho de xerez; o rico líquido engrossando faria um contraste com a brancura do arroz no vapor que acompanharia o prato. Não usei um avental e como mexia cada vez mais depressa a rica preparação sujou minha camisa branca. Esfreguei com um pano, mas a mancha ficou ainda maior. Frustrado, disse em voz alta “Maldito...”, mas antes de terminar fui interrompido por uma batida na porta.

Linguado à *la Dieppoise*

à la Jorge Luis Borges

2 filés de linguado
½ l de mexilhões
100 g cogumelos frescos
50 g de manteiga
125 ml de vinho branco
½ limão
1 colher de farinha branca

A história que vou contar se refere a um incidente que ocorreu em Londres, no início de 1945. O protagonista foi declarado herói pelos dois lados do conflito, apesar de as consequências favorecerem apenas um, e provocarem a queda de um tirano aparentemente invencível com um apetite insaciável.

No início da II Grande Guerra, temendo uma invasão, os britânicos retiraram toda a sinalização de suas estradas. A intenção era que os espiões e os invasores se perdessem nos intermináveis labirintos das curvas celtas que constituem grande parte da rede viária britânica. A tarefa de supervisionar o projeto coube a *sir* Henry Smith. Inspirado pela iniciativa britânica, um restaurador francês, Amadée Antonin, retirou os nomes de todos os pratos do cardápio de sua hospedaria. Durante algum tempo, os oficiais

alemães que frequentavam o restaurante de Antonin se viam perdidos em meio a um cardápio secreto sem sinalização nenhuma. As entradas para pratos como Camarão *à la Bordelaise* e Lagosta *à la Parisienne* não ofereciam nenhuma orientação ao comensal sobre o destino dos infelizes decápodes, e *Paris Brest* só poderia ser pedido por aqueles que conheciam o cardápio desde a infância.

Foi na antiga Confeitaria Aguila que ouvi pela primeira vez a história de *sir* Henry Smith. Uma pequena nota no jornal de Buenos Aires, *Carne y Produccion*, informava sobre o aniversário de sua morte e oferecia detalhes sobre sua carreira. Tempos depois, durante uma viagem acadêmica na Alemanha, encontrei mais uma reportagem sobre *sir* Henry Smith ou de um outro *sir* Henry Smith. A história começou a ficar mais profunda e complicada. O artigo se referia a documentos da época do governo da guerra que apenas recentemente tinham sido liberados, nos quais havia referências a *sir* Henry como "O Cavaleiro Espião do Reich", agente do alto escalão do serviço de inteligência da Alemanha durante a II Grande Guerra.

Minha viagem acadêmica se transferiu para a Inglaterra, e ali passei grande parte de meu tempo livre pesquisando a estranha história de *sir* Henry. Do acesso privilegiado ao diário de seus últimos dias, em escrita cuneiforme, que ele aprendera como escrevente de Woolley em Ur, Suméria, tentei criar um quadro completo de suas horas terminais, fiel aos fatos, quando disponíveis. Como esperado, alterarei um ou outro detalhe. Eis a história.

Foi em 2 de março de 1944, exatamente às 13h, que *sir* Henry Smith entrou na rua Great College e antes que o repique do Big Ben desaparecesse no ar, ele se lembrou do bilhete que lhe havia sido entregue ao sair da Casa dos Comuns. *Sir* Henry leu a única linha da página. Temendo desmaiar, apoiou-se na parede e recusou a oferta de ajuda de um pedestre. O bilhete era de seu contato, o Agente 42, que recentemente havia orientado *sir* Henry a prestar mais atenção à informação que poderia indicar o local de uma provável invasão dos aliados na França.

A captura iminente do Agente 42 implicava na prisão e execução de *sir* Henry. Nos poucos minutos de sua caminhada para casa, e das infinitas escolhas que tinha diante de si, *sir* Henry decidiu colocar seu plano em ação. Na pequena prateleira da cozinha ele pegou um livrinho e seus olhos glaciais começaram a rastrear o índice: Bacalhau *à la Anglaise*, Bacalhau Provençal, Camarão *à la Bordelaise*, Sopa de Peixe *à la Nimoise*, Linguado *à la Dieppoise*. Satisfeito, *sir* Henry rabiscou um bilhete que entregou ao porteiro com uma generosa gorjeta e instruções para que o peixe não fosse cortado em filés.

Sir Henry, sentindo o alívio que um assassino sente ao ser preso, sentou-se no sofá perto da prateleira de livros. Abriu um livro ao acaso e começou a ler. As páginas contavam a história de Astiages, cujos impiedosos númidas lhe tinham dado o governo da Pérsia, e que tinham estipulado seu invencível propósito por meio da interpretação de sonhos dos Magos. Seguindo seu conselho, Astiages ordenou a morte de seu neto. Quando suas ordens foram frustradas com a desobediência do general Harpago, Astiages sacrificou o filho deste e serviu cozido ao néscio pai. No final da refeição, a cabeça e as mãos do menino foram servidas à mesa. Harpago não fez sinal de revolta, mas em segredo enviou uma mensagem, escondida no estômago de um coelho assado, para o neto de Astiages (já adulto), Ciro, prometendo uma conspiração contra o general, em toda tentativa para derrubar o tirano. Temendo ser descoberto, Harpago enviou uma segunda mensagem, escondida na carcaça cozida de uma tartaruga, pedindo para que se apressassem, que chegou antes da primeira e suscitou o conto apócrifo do fabulista grego.

O livro ficou difícil e *sir* Henry adormeceu. Teve o mesmo sonho, que às vezes tinha nos meses anteriores. Ele se via num enorme labirinto, tentando andar, sem conseguir, por uma direção invisível ou fazer um movimento imprevisível. *Sir* Henry foi acordado pela volta do porteiro, cuja viagem havia sido um sucesso. Deixou o ministro com o quartilho de mexilhões e um linguado com a espinha.

à la Jorge Luis Borges

Sir Henry não era um cozinheiro famoso e não era um piscívoro habitual, mas, por se tratar de um empregado leal, se orgulhava de saber seguir instruções. Abriu o livro de receitas, limpou os mexilhões, e, enquanto isso, telefonou para um jornalista do *The Times*. Relatos informam que o jornalista concordou em ir ao apartamento de *sir* Henry às 8h naquela noite, pois o ministro tinha uma história para lhe contar. *Sir* Henry então temperou o linguado com sal e pimenta e colocou os pedaços num refratário que vai ao fogo. O sol havia descido até abaixo dos telhados e pela janela ele viu a torre da abadia de Westminster. A luz da chama de gás capturou a luz extravagante do pôr do sol e iluminou o imutável rosto de *sir* Henry. Ele tirou o líquido dos mexilhões e cobriu-os com a água fresca, tão desconhecida deles, descartando como irrecuperáveis todos os que não se fechassem quando atingidos pela água. Fritou os cogumelos com um pouco de manteiga e espremeu um pouco do suco de limão sobre eles, tampando a panela para preservar o suco. Enquanto isso, tirou a água dos crustáceos e colocou a panela tampada sobre o fogo brando, mexendo devagar até que as pelecípodes se abriram, removendo tudo que não estivesse de acordo com a maioria. *Sir* Henry colocou o líquido em uma vasilha e tirou a casca dos mexilhões. Os cogumelos estavam prontos e ele jogou o líquido da panela sobre o linguado, acrescentou uma taça de vinho e a água dos mexilhões, para ter líquido suficiente para cobrir o peixe.

Entre os livros não lidos da biblioteca de *sir* Henry constava o tratado sobre o asceticismo de Agostinho de Trieste. Defrontado com uma refeição de peixe, Agostinho postula o argumento contra o carnivorismo. Depois de consumido, o peixe seria transubstanciado na carne do comensal anatematizado e, para Agostinho, para quem o peixe era o próprio ancestral de *sir* Henry, seu consumo nada mais era do que canibalismo. Levou o líquido até o ponto de fervura, colocou o linguado dentro e mediu o tempo com precisão. Ao sinal de oito minutos, *sir* Henry tirou o linguado do líquido e o colocou no prato aquecido de servir. Colocou os mexilhões e os cogumelos fritos em volta do peixe e manteve quente enquanto diminuía o líquido em ebulição, permitindo que fervesse por três minutos e 30 segundos. Enquanto isso, *sir* Henry acelerou a cooperação da manteiga e farinha, que misturou aos poucos no líquido, mexendo sem parar até o molho engrossar. Pensou nas infinitas possibilidades desses poucos ingredientes e na praticidade da cozinha classificada como um ramo da matemática, rejeitando essa hipótese em favor da gastronomia como linguagem. Despejou o molho sobre o peixe e colocou o prato sob uma grelha quente por alguns minutos para dourar, antes de servir com purê de batatas.

O debate sobre os reais ingredientes usados é de natureza dialética. O livro de receitas usado por *sir* Henry desapareceu depois da investigação criminal, mas podem ter feito uma espúria modernização da edição de 1921 de *366 Menus de Baron Brisse*. Com os depoimentos do porteiro e do jornalista, espero ter reconstruído a receita com certa acuidade.

Sir Henry serviu um copo de vinho branco para acompanhar a refeição, destrancou a porta da frente e sentou-se à mesa. Enquanto o firmamento escurecia e a abadia se desintegrava na escuridão, ele conjeturou que não teria a honra de enfrentar o opróbrio de seus conterrâneos. Ouviram-se os repiques do Big Ben, quando o relógio marcou a hora, e lembrando outras noites antigas, *sir* Henry fez uma breve oração antes de iniciar sua ceia purificadora.

Foi encontrado depois, naquela noite, pelo jornalista visitante, seu corpo magro e atlético espalhado no tapete, braços estendidos. Sobre a mesa os restos de uma refeição inacabada e um livro de receitas aberto. No dia seguinte, a última edição do *The Times* trazia a manchete: MINISTRO ENCONTRADO MORTO. Junto com o título do prato que havia comido, o jornalista introduziu o detalhe de que a garganta de *sir* Henry havia sido lacerada pela espinha do peixe, quando ele teve a convulsão mortal. Cinco dias depois um regimento da infantaria alemã foi levado da costa da Normandia para uma posição defensiva nos arredores de Dieppe, e os primeiros obituários apaixonados apareceram em honra de *sir* Henry Smith.

Queijo com Torrada

à la Harold Pinter

1 pão ciabatta
1 berinjela
Azeite de oliva extra virgem
Pesto
200 g mussarela
2 colheres de chá de orégano fresco picado

Ato I
Uma cozinha desordenada. Uma lâmpada fluorescente pisca, tentando iluminar. Embaixo da janela tem uma pia com pratos sujos empilhados. A lata está transbordando de lixo; perto da lata há garrafas vazias. Há uma mesa de cozinha pequena; jornais e cartas fechadas encobrem a superfície. Tem uma mesa com duas cadeiras. Ouve-se um barulho de chaves na porta, de vozes abafadas. A porta fecha batendo; nesse momento, entram pelo lado esquerdo do palco HURLEY, um jovem de casaco de couro, e CLACK, um homem mais velho, parecendo um mendigo.

HURLEY. Entre. Fique à vontade.
(CLACK entra e olha à sua volta.)
Maldita luz. Tô querendo arrumar uma lâmpada nova.

(HURLEY chega perto e bate na lâmpada com o dedo até parar de piscar.)
Vou preparar alguma coisa pra comer.

CLACK. Não comi nada o dia todo. Não lembro da última vez em que fiz uma refeição decente. Digo, uma refeição com comida quente, sentado à mesa.

HURLEY. *(Olhando a geladeira.)* Quer usar o telefone? Ligar pra sua filha?

CLACK. O quê? Numa hora dessas? Vou ligar amanhã. Ela não vai querer sair hoje, começa a trampar cedo de manhã.

HURLEY. Não posso oferecer muita coisa. Não faço compras há séculos. Que tal queijo com torrada?

CLACK. Que tipo de queijo?

HURLEY. Mussarela.

CLACK. Mussa o quê?

HURLEY. Mussarela. É italiano.

CLACK. Pra mim não. Quero só um pedaço de torrada.

Pausa.

HURLEY. Um dia vou precisar lavar essa grelha.

(*Ele está segurando uma grelha coberta com queijo derretido ressecado. Corta o pão ciabatta pela metade, de comprido. De modo parecido, corta fatias finas de berinjela e coloca os pedaços em uma frigideira com óleo aquecido.)*

CLACK. Que lugarzinho manero. É só seu?

Pausa.

Deve valer uma grana. Há quanto tempo você tá aqui?

HURLEY. Sei lá… talvez três anos.

CLACK. Levantou uma grana, né?

(HURLEY *coloca o pão embaixo da grelha para aquecer.*)

É uma torrada grande.

HURLEY. É ciabatta.

CLACK. Cia o quê?

HURLEY. Ciabatta. Pão italiano.

CLACK. Você é italiano?

HURLEY. Todo mundo come isso hoje em dia: ciabatta, focaccia, schiacciata, panini.

CLACK. Não dá pra colocar algumas fatias na torradeira?

HURLEY. A torradeira tá quebrada.

Pausa.

Queria ter um lugarzinho de comida italiana. Nada chique, sacou. Lanches simples: panini na ciabatta, focaccia, bruschetta; massas, spaghetti, penne, rigatoni; os molhos básicos, pesto, bolonhesa, arrabiata; os pratos básicos, carpaccio de atum com azeite trufado, filé de carne bovina no prato com espinafre cozido. Quer uma xícara de chá?

CLACK. Agora sim. Uma boa xícara de chá.

HURLEY. Já teve na Itália? Conheci um cara lá que se parece com você. Já faz tempo. Ele provavelmente já morreu.

(Ele tira a berinjela da panela, a polpa está banhada no azeite e tem uma cor dourada com tiras escuras por causa dos sulcos da

frigideira. O pão ciabatta está quente e ele coloca uma camada fina de pesto na parte cortada.) Onde a sua filha mora?

CLACK. Minha o quê?

HURLEY. Sua filha. Aquela que ia buscá-lo na estação.

CLACK. Ah, ela.

Pausa.

Ela mora em Catford.

HURLEY. Catford? Eu costumava ir lá por causa dos cachorros. Lembro uma noite em que estava me dando bem, ganhando quase todas, até que botei tudo na última corrida. Tive um palpite, dois e quatro. Não sei por que, quase sempre eu fazia dois e quatro. Mas naquela noite eu não fiz. Só veio o quatro e dois. Perdi tudo. Você joga?

CLACK. O quê? Jogar meu dinheiro fora? Eu não.

(*Pausa, enquanto ele olha para o colo.*)

Você não tem um alfinete, né?

(HURLEY *coloca os pedaços de berinjela em cima do pão e do pesto, e começa a fatiar a mussarela.*)

HURLEY. Você pode ligar pra ela amanhã cedo. Vou arrumar sua cama.

CLACK. Ela trabalha de manhã. Já disse.

HURLEY. Você gosta de azeite de oliva?

(*Ele coloca a mussarela sobre a berinjela, respinga azeite por cima, e coloca um pouco do orégano picado, antes de colocar o pão ciabatta sobre a grelha aquecida.*)

CLACK. Não vou querer esse lixo estrangeiro.
HURLEY. Azeite de oliva? Faz bem.
CLACK. Bom pra limpar os ouvidos, né?
HURLEY. *(Joga um saquinho de chá no lixo entupido.)* Pra você, uma xícara de chá.
CLACK. *(Faz uma expressão de alegria.)* Não tem nada melhor do que uma boa xícara de chá.
(Dá um gole no chá e faz uma careta.)
Não tem açúcar?
HURLEY. Ali na mesa. Não uso muito.
(O açúcar está endurecido. CLACK bate com a colher até conseguir adoçar seu chá. Às vezes observa o processo. O chiado da comida vem da grelha. HURLEY espera até que a mussarela fique marrom e dourada em algumas partes.)
HURLEY. Pode pegar. Está pronto.
(HURLEY corta os dois pedaços do pão em pedaços menores.)
Você vai experimentar, né?
CLACK. Eu não. Isso não serve para um homem como eu.
(HURLEY coloca o prato de pão ciabatta na mesa.)
Não tá parecendo ruim. Eu me rendo. Tá...
Pausa.
Com uma cara boa. É isso aí, uma cara boa.
HURLEY. Eu teria feito um molho para a salada, ou teria posto manjericão fresco, se eu tivesse.
CLACK. Não tá ruim, não.

Pausa.

Só vou experimentar.

(Pega um pedaço e morde. Compridos fios de mussarela ficam presos na barba. Seu rosto se ilumina com a surpresa.)

CLACK. Não tá ruim, não. Acho que seu restaurante pode dar certo.

Ele pega mais um pedaço. HURLEY já está comendo. Os dois homens ficam sentados em silêncio, tomando chá, devagar. A lâmpada fluorescente começa a piscar de novo, mas agora HURLEY não liga. As luzes se apagam devagar.

Cai o pano.

Torta de Cebola

à la Geoffrey Chaucer

225 g de massa podre
1 colher de tomilho fresco picado
25 g manteiga
2 colheres de azeite de oliva
8 cebolas cortadas em fatias finas
Sal e pimenta-do-reino
2 colheres de chá de açúcar muito fino
¼ colher de chá de noz-moscada e gengibre ralados
2 ovos e 2 gemas
425 ml de creme de leite
1 pitada de açafrão

Então falou nosso anfitrião.
"Já ouvimos todos de nossa congregação
Com receitas para contar, mas um não.
Mestre Graham, que muitos homens conhece
Prefere histórias de traição que merece.
E vós, mulher de Bloomsbury de longilíneo rosto,
Com brava coragem assumistes vosso posto.
Deus conhece bem vosso fluxo de consciência,
Por vossos *clafoutis* sejais abençoadas.

E vós, funcionário de Praga, vossos livros tirai fora,
Não é hora de Ovídio, são para cozinheiros nossas histórias.
Nossa metamorfose é a culinária,
Do caos dos ingredientes, somos nós os criadores.

E, quando os contadores voltam seu vozerio são,
Para *Ars Culinária*, como aqui estão,
Nutridas são nossas almas cristãs e másculas,
Também nosso ventre, nossos pratos e nossas taças.
E vós, Coletor de Impostos, que essas histórias está ouvindo,
Sempre bebendo cerveja e redigindo
Um bom prato de sua lavra passe a nos contar
Pois está na hora de no jogo entrar."
"Com muito prazer", disse ele,
"É certo que sei assar e ferver e tostar e fritar,
Mas, penso que nada é melhor do que uma torta.
Por isso, da melhor maneira que sei, vou contar
Uma receita a todos que vai nos alimentar.
Agora ouçam o que eu digo.

Eis o começo da receita do Coletor de Impostos:
Numa tábua polvilhada com farinha,
Passai o rolo até a massa ficar fininha
A isto misturai tomilho e uma forma forrai.
Com uma faca as bordas aparai,

GALFRI
AUCER

Usai 400 graus de temperatura para assar.
Derretei a manteiga e o azeite numa panela pesada,
Como vós sabeis, tampada.
A isto, misturai sal e açúcar.
Depois acrescentai cebola fatiada.
Tampai a panela e mantende a chama abaixada,
Mexei de tempo em tempo, ou a cebola há de grudar.
Tirai a tampa e deixai por dez minutos descansar,
Para o molho escurecer e engrossar.
A isto polvilhai a noz-moscada ralada, mas reservai um bocado,
Levai ao fogo sem esquecer do gengibre ralado.
Batei os ovos e as gemas de forma lenta,
E temperai com sal e pimenta.
Aquecei o creme, e coloque o açafrão,
Depois juntai os ovos batidos nessa poção.
Espalhai o molho de cebola na massa,
Depois colocai os ovos e o creme nisso.
Deixai por XXV minutos no forno assar
Até toda a torta dourar."
"Agora, Deus vos abençoe", disse nosso anfitrião,
"Destes um exemplo para as pessoas,
Já que tanto sabes sobre a arte,
E muito bem contastes a vossa parte.
Na arte da cozinha não há nada, caro irmão,
Que não tenha sido dito nos tempos de antão,

No modo de contar como é feita sua criação,
Ninguém vai do ofício se lembrar.
Vossas alfândegas guardam uma beleza estúrdia,
E no futuro as histórias de peregrinos lhe renderão tributo."

Aqui termina a receita do Coletor de Impostos de Londres.

FIM

BATI TODOS OS
PEDAÇOS ATÉ A
MASSA FICAR MACIA...